À tous les membres de la famille,

L'apprentissage de la lecture est l'une des réalisations les plus importantes de la petite enfance. La collection *Je peux lire* est conçue pour aider les enfants à devenir des lecteurs experts qui aiment lire. Les jeunes lecteurs apprennent à lire en se souvenant de mots utilisés fréquemment comme « le », « est » et « et », en utilisant les techniques phoniques pour décoder de nouveaux mots et en interprétant les indices des illustrations et du texte. Ces livres offrent des histoires que les enfants aiment et la structure dont ils ont besoin pour lire couramment et sans aide. Voici des suggestions pour aider votre enfant avant, pendant et après la lecture.

Avant

Examinez la couverture et les illustrations et demandez à votre enfant de prédire de quoi on parle dans le livre.

Lisez l'histoire à votre enfant.

Encouragez votre enfant à dire avec vous les mots et les formulations qui lui sont familières.

Lisez une ligne et demandez à votre enfant de la relire après vous.

Pendant

Demandez à votre enfant de penser à un mot qu'il ne reconnaît pas tout de suite. Donnez-lui des indices comme : « On va voir si on connaît les sons » et « Est-ce qu'on a déjà lu un mot comme celui-là? ».

Encouragez l'enfant à utiliser ses compétences phoniques pour prononcer d'autres mots.

Lorsque l'enfant a besoin d'aide, lisez-lui le mot qui pose un problème, pour qu'il n'ait pas trop de mal à lire et que l'expérience de la lecture avec les parents soit positive.

Encouragez votre enfant à lire avec expression... comme un comédien!

Après

Proposez à votre enfant de dresser une liste de mots qu'il préfère.

Encouragez votre enfant à relire ses livres. Il peut les lire à ses frères et sœurs, à ses grands-parents et même à ses toutous. Les lectures répétées donnent confiance au jeune lecteur.

Parlez des histoires que vous avez lues. Posez des questions et répondez à celles de votre enfant. Partagez vos idées au sujet des personnages et des événements les plus amusants et les plus intéressants.

J'espère que vous et votre enfan

e
tions
éducatives de Scholastic

À Rosemary Hall

– K. M.

À Wills et Georgia

– M. S.

Données de catalogage avant publication (Canada)
McMullan, Kate
L'été farfelu de Caramel
(Je peux lire! Niveau 3)
Traduction de : Fluffy's silly summer.
ISBN 0-439-98504-8
I. Smith, Mavis. II. Duchesne, Lucie. III. Titre. IV. Collection.
PZ23.M345Et 1999 j813'.54 C99-932475-6

Édition publiée par Les éditions Scholastic,
175, Hillmount Road, Markham (Ontario) L5C 1Z7.

5 4 3 2 1 Imprimé au Canada 9 / 9 0 1 2 3 4 / 0

L'été farfelu de CARAMEL

Texte de Kate McMullan
Illustrations de Mavis Smith
Texte français de Lucie Duchesne

Je peux lire! — Niveau 3

Caramel le héros

Caramel va passer les vacances d'été
chez Maxime.
« **Oh là là!** pense Caramel.
Je vais grignoter du gazon.
Je vais m'étendre au soleil.
J'adore l'été! »

Maxime installe la cage de Caramel
dans le salon.
Il donne de l'eau et des graines à Caramel.
– Je vais au parc,
dit Maxime à Caramel.
Je te retrouve plus tard!
« **Attends!** pense Caramel. **Qu'est-ce que**
***je* vais faire, moi?** »

La sœur de Maxime, Violette,
vient dans le salon.
– Tu dois t'ennuyer dans ta cage?
remarque-t-elle à Caramel.
« **Tu as deviné!** » pense Caramel.
– Veux-tu venir dehors avec moi?
demande Violette.
« **Bien sûr!** pense Caramel.
Emmène-moi sur la pelouse! »

Violette prend Caramel dans ses bras.
– Je vais t'emmener nager,
dit-elle.
« **M'emmener faire quoi?** » pense Caramel.

« **Hé! arrête! Attends une seconde!**
pense Caramel. **Je suis un animal terrestre!
Je marche. Je cours. Je peux même galoper.
Mais je ne nage pas!** »

Violette amène Caramel dehors
dans sa petite piscine.
Elle le met sur le dos d'un canard jaune.
Elle pousse le canard
vers le milieu de la piscine.
– Youpi! fait Violette.

Le canard monte et descend.
Caramel s'accroche au cou du canard.
« **Du calme, gros canard**, dit-il au canard.
Je ne veux pas être mouillé! »

Violette saute dans la piscine.
– C'est amusant, non? demande-t-elle.
« **Pas vraiment** », pense Caramel.

Violette gigote et fait des éclaboussures.
– Youpi! crie-t-elle.
Le canard monte et descend.
« **Arrête!** pense Caramel. **Ça suffit, canard!** »

Puis Caramel aperçoit une nageoire dans l'eau.
Un requin nage vers Violette!
Caramel doit la sauver!

« **Vas-y!** » dit Caramel à son canard.
Caramel avance vers le requin.
« **Plus vite!** » ordonne Caramel.

Le canard amène Caramel
jusqu'au requin.
Caramel frappe le requin sur la tête.
Il le frappe sur le museau.
Caramel le frappe encore, en plein dans les dents!
Et vlan!
Le requin roule sur le dos.

Caramel le héros revient vers Violette
à dos de canard.
« **Tout va bien, Violette**, pense Caramel.
Le requin ne te fera pas de mal. »

Violette prend Caramel.
« **Non, non, ne me remercie pas,**
pense Caramel le héros.
Je faisais seulement mon travail. »

Violette plonge Caramel dans l'eau.
– Youpi! s'écrie-t-elle.
« **La vie de héros n'est jamais facile** »,
pense Caramel.

Un prix pour Caramel

Maxime, Damien et Emma
lisent une affiche dans la vitrine
d'une boutique d'animaux.

– Caramel pourrait gagner un prix, dit Emma.
« **Un prix?** pense Caramel.
Je gagnerai TOUS les prix! »

Le samedi matin, Emma lave
la figure et les oreilles de Caramel.
Maxime lave les pattes de Caramel.
Damien le met sur le dos
et lui lave le ventre.
« **Ça suffit!** pense Caramel.
Je ne vais pas à un concours de PROPRETÉ! »

– Nous voulons inscrire Caramel
au concours, explique Maxime à M. Petit.
« **Je vais tout gagner!** »
pense Caramel.
M. Petit inscrit le nom de Caramel.

Toutes sortes d'animaux participent au concours.
Mais il y a seulement un autre cochon d'Inde.
Maxime dépose Caramel à côté de lui.
« **Je suis un cochon d'Inde à houppe,**
dit l'autre cochon d'Inde à Caramel,
en se grattant la tête. **Je vais**
remporter le concours. »

Caramel ouvre grand les yeux.
L'autre cochon d'Inde est Guimauve!
Guimauve n'a pas l'air de se souvenir de Caramel.
Mais Caramel se souvient d'elle.
Guimauve lui a volé sa pomme de Saint-Valentin.
Guimauve lui a dit que ses jouets étaient ridicules.
Caramel n'aime pas Guimauve.

« **Je suis magnifique**, dit Guimauve à Caramel.
Je suis futée. Je peux faire un million de tours.
Je vais gagner tous les prix. »

« **J'en doute** », dit Caramel.

CONCOURS
DU MEILLEUR
ANIMAL DOMESTIQUE

– Guimauve! dit M. Petit.
Une petite fille amène Guimauve sur la scène.
Guimauve fait un tour sur elle-même.
Guimauve compte jusqu'à un.
Guimauve roule sur le dos.
Caramel trouve que Guimauve est très douée.
Il se ronge les griffes.
« **Est-ce que je peux être meilleur?** »
se demande-t-il.

« **M'as-tu vue?** demande Guimauve lorsque son numéro est terminé. **J'ai été vraiment bonne, non?** »

Guimauve se gratte la tête de nouveau.
Caramel aperçoit des petites taches sur sa houppe.
Guimauve a des puces!
Une puce saute sur Caramel.
« **Ouache!** » pense Caramel.

– Caramel! annonce M. Petit.
Maxime amène Caramel sur la scène.
Caramel secoue la tête.
Il agite ses bras et ses jambes.
Cette puce doit s'en aller!

Caramel gambade sur la scène.
– Vas-y, Caramel! crie Damien.

Caramel fait la culbute
et saute de gauche à droite.
– Quel cochon d'Inde! dit Emma.

Caramel se gratte la tête avec une patte.
Il se gratte le ventre de l'autre.
Cette puce doit s'en aller!
La puce est sur la tête de Caramel.
Et Caramel, en bougeant comme un fou,
a complètement étourdi la puce.
La puce saute et s'éloigne de Caramel.
« **Enfin!** » pense Caramel.
La puce est partie!
Il agite son bras en l'air
en quittant la scène.

– Voici un prix, dit M. Petit.
Le prix du meilleur danseur... Caramel!
Tout le monde applaudit.

– Hé! dit Maxime.
Comment Caramel
a-t-il réussi à être un si bon danseur?
« **Je vais garder mon secret** »,
pense Caramel.

Le gros méchant Caramel

Maxime amène Caramel dans le jardin.
Caramel regarde autour de lui.
« **On dirait la jungle!** » pense Caramel.
– Surveille bien Caramel, Maxime,
lui dit sa maman.
– Ne t'inquiète pas, répond Maxime.
Caramel ne se sauvera pas.

Maxime s'étend sur la pelouse.
Il installe Caramel près de lui.
Maxime le regarde grignoter du gazon.
Il le regarde sentir le sol.
Maxime ferme les yeux.
Caramel s'éloigne.

« **Dans la jungle**, pense Caramel,
il y a des dangers partout. »

Caramel avance dans la jungle.
Un lion sort la tête d'un buisson.
« **Va-t'en!** pense Caramel.
Tu n'as pas peur d'un gros méchant cochon d'Inde? »
Le lion court se mettre à l'abri.

Caramel continue d'avancer.
Un serpent se dresse devant lui.

« **Va-t'en!** pense Caramel.
Ou je te transforme en un gros nœud! »
Le serpent s'éloigne en rampant.

Caramel s'enfonce encore plus dans la jungle.
Un tigre bondit vers lui.

« **Tu ne me fais pas peur!** pense Caramel.
Je suis gros! Je suis méchant! »
Le tigre s'enfuit en courant.

Caramel sourit.
« **C'est bon d'être gros et méchant** »,
pense-t-il.

Soudain, un chien aboie.
Caramel sursaute! Il se met à courir.
Il aperçoit un trou au bas d'un arbre.
Il s'y précipite pour se cacher.

Mais le trou n'est pas vide.
Dedans, il y a plein de bébés lapins.

Caramel voit le chien
qui court vers
le terrier des lapins.
Caramel saute dans le nid
des bébés lapins.

Le chien passe la tête
par le trou.
Caramel essaie de ressembler
à un gentil petit lapin.

Le chien s'en va.
« **Parfois,** pense Caramel,
c'est bien d'être petit et gentil. »

Voilà que maman lapin revient à la maison.
Maman lapin prend un de ses petits.
Elle en prend un autre.
Elle se penche pour prendre Caramel.
« **Oh oh!** » pense Caramel.

« **Tu n'es pas un de mes bébés!**
dit maman lapin en grognant.
Sors de mon nid,
ou tu vas le regretter! »

Caramel bondit hors du nid.
Il sort du terrier des lapins.
Il traverse la cour et
va tout droit retrouver Maxime.

Maxime ouvre les yeux.
– Je savais que tu ne t'éloignerais pas,
dit-il à Caramel.
Maxime prend Caramel dans
ses bras et le rentre à la maison.

« **Parfois,** pense Caramel,
c'est bien d'être chez soi. »